취미미술이 잘 되는 특별한 10가지 비법

발행	2024년 7월 17일
저자	강주연
디자인	강주연
편집	강주연
펴낸이	송태민
펴낸곳	열린 인공지능
등록	2023.03.09(제2023-16호)
주소	서울특별시 영등포구 영등포로 112
전화	(0505)044-0088
이메일	book@uhbee.net
ISBN	979-11-94006-34-3

www.OpenAIBooks.com

그림은 한 사람의 인생을 바꾸는 힘이 있습니다.
이 책이 여러분의 그림에 도움이 되었으면 합니다.

———————————— 님께

———————————— 드립니다.

취미미술이 잘 되는 특별한 10가지 비법

|강주연|

선화예술고등학교, 홍익대학교 졸업
미술 2급 정교사 자격증
미술치료사 자격증

전 부부상담소 미술치료사
전 대치 E.I.A 미술팀장
경기 꿈의 학교 "나는 심리치료사"꿈지기
그외 많은 프리랜서 활동등

지금은 미국에 거주중이며
그림 유튜브 "Jay's art workshop"을
운영합니다.

취미 미술이 잘 되는 특별한 10가지 비법

홍대 출신이 알려주는
그림을 시작하는 사람들을 위한 입문서

- 강주연 -

들어가며

여러분, 우선 분명히 이야기 하자면 저는 글보다는 그림이 편한 그림쟁이입니다. 그런 제가 취미미술에 대한 글을 쓰게 된 것은, 그림에 대한 여러 편견과 오해를 풀기 위해서였습니다. 오랜 시간 그림을 가르쳐 온 저에게 주변에서는 수없이 이런 질문을 합니다.

"

그림 배우고 싶은데 어떻게 시작해야 할까요?

"

그럴 때마다 저는 이렇게 조언했습니다.

" 그림은 마음을 표현하는 거예요.
너무 어렵게 생각하지 마시고 연필 한자루만
있어도 그냥 그려보세요! **"**

그러면 대부분 저를 의아한 눈길로 쳐다봅니다. '예고 · 홍대 미대 출신이 무슨 얼토당토않은 소리냐'는 듯이요. 물론 어쩌면 무책임한 말일 수도 있겠죠. 그래서 저는 주변인들에게 도움을 줄 수 있는 그림 강의들이 무엇이 있을까?라는 생각으로 리서치에 돌입했습니다.

먼저 책들을 찾아보았지만 대부분은 기술 위주의 책들이었습니다. 취미그림의 본질적인 마음가짐이나 태도를 다룬 책은 많지 않았습니다. 그럼 세미나나 강의는 어떨까 싶어 찾아보았습니다. 하지만, 유명 강사분들의 지나친 마케팅에 실망했습니다. 물론 유명한 사람들이 인기가 있는 것은 자연스러운 것이라고 생각합니다.

하지만 하얀 백지와 같은 초보자들은 그림에 대한 지식이 부족한 상태입니다. 그러한 분들이 어떤 내용이 옳고 그른지 구분조차 어려운 상황에서 전문가가 아닌 사람에게 그림을 배운다는 것은 맹인모상(장님 코끼리 만지기) 같은 안타까운 상황이 생기는 것이 아닐까 생각이 들었습니다.

그림의 빈곤함

그러면서 생각해보니 우리나라 미술 교육도 문제가 있었습니다. 대입 위주의 아카데믹한 지식만 전수되다 보니, 그림의 참된 본질을 가르치지 못했다는 거죠.

그래서 마음먹게 되었습니다. 저의 오랜 노하우를 바탕으로 그림 입문자들을 위한 안내서를 직접 쓰기로 말입니다.

저의 책은 이제 막 취미미술을 시작한 분들을 위한 유익한 내용들로 구성되어 있습니다. 나무하나하나를 보는 것이 아닌 전체 숲을 보는 것이라고 할까요? 기법 하나하나의 설명보다는 꾸준히 그림을 그리는 동안 여러분의 의식 변화에 도움이 될 10가지를 이야기 합니다.

1장에서는 그동안 우리가 왜 그림을 못 그려 왔는지 수학교과와 비교하여 친절히 설명해 드립니다. 왜 못그렸는지를 알면 잘그리는 방법을 찾아갈 수 있겠죠?

2장에서는 과연 그림을 잘 그린다는 것이 무엇인지, 취미 미술을 하며 어떤 마음가짐을 가져야 하는지를 상세히 설명합니다.

3장부터 본격적으로 그림 그리는 법을 알려드립니다. 취미 미술하시는 분들의 50%이상이 놓치는 스케치와 드로잉에 대한 이야기를 다룹니다.

4장에서는 초심자들이 정말 다루기 어려워하는 색을 인생에 빗대어 쉽게 설명해 드립니다.

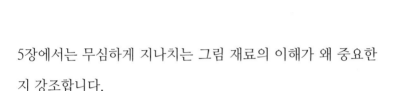

5장에서는 무심하게 지나치는 그림 재료의 이해가 왜 중요한지 강조합니다.

6장에서는 5장에서 배운 여러 그림재료중에서 취미미술을 시작하는 초보자들에게 수채화가 왜 매력적인지 소개합니다.

7장은 초보자들이 많이 하게 되는 모작에 대한 장점과 주의점을 알려드립니다.

8장은 초보자들이 자주 범하는 실수 사례를 모아봤어요.

9장에서는 좋은 미술 선생님의 자질과 조건을 말씀드리고, 10장에서는 왜 꾸준히 그림을 계속 그려나가야 하는지 이유를 설명합니다.

만약 지금 읽고 계신 책이 전자책인 경우는 각 장마다 Tip 코너가 있는데요. 여기에 해당 주제로 제가 업로드한 유튜브 영상 링크를 첨부해두었습니다. 책 내용만으로 이해가 부족하다면 영상을 시청하시면 더 자세한 설명을 들으실 수 있습니다. 다만 유튜브 영상은 상황에 따라 책 내용과 조금씩 다를 수 있으며, 보다 간략하거나 구체적일 수 있습니다. 핵심 내용은 책을 기본으로 하시고, 영상은 추가 참고용으로만 활용하시면 되겠습니다.

++유튜브 채널 "Jay's art workshop"++

에필로그에는 저의 그림 인생기를 풀어놨답니다. 제가 그림을 그리며 느낀 기쁨과 의미, 그림이 주는 특별한 가치를 여러분과 나누고 싶었거든요.

제 인생에서 그림은 참 소중한 존재였습니다. 그림을 통해 새로운 세상을 만나고, 자아를 성찰하고, 행복을 느낄 수 있었답니다. 저에게 친구같았던 그림,

이제 여러분에게 그림이라는 매력적인 친구를 소개해 봅니다. 두려워하지 마시고 가벼운 마음으로 그림 그리는 재미를 느껴보시길 바랍니다.

"
자 이제 그림을 만나러 갈까요?
"

16

CONTENTS

취미미술

Part I

1st 나는 왜 못 그렸을까.......................................018

2nd 그림 잘 그리는 방법................................032

Part II

3rd 스케치? 드로잉? 040

4th 색이 어렵다면................................052

5th 연장을 알아야 요리를 하죠....................064

6th 매력적인 수채화.......................................076

Part III

7th 첫 삽 뜨기, 모작 해도 되나요?.........................084

8th 미술독학러가 가장 많이 하는 실수...................090

9th 그림 어디서 배울까?.......................................096

10th 마라톤 시작입니다................................102

.............에필로그/나의 이야기 108

1ST

나는 왜 못 그렸을까?

그림 그리기는 재능이 있어야 한다고
생각하는 분들 계실까요?
"그림에 재능이 없어서 그동안 못 그린거야"
라고 생각하신 분들의 오해를 풀어드릴
특별한 이야기 시작해 봅니다.

──────────◆ **좋아하는 그림이었는데...**

여러분, 우리 모두가 한번쯤 경험했을 법한 재미있는 주제에
대해 이야기해보려고 합니다. 저에게 많은 학부모님들이나
지인들은 이런 이야기를 많이 합니다.

> " 우리 아이가 어렸을 때는 그림을 참 잘 그렸어요.
> 신기할 정도로 잘 그렸는데, 점점 더 크면서부터는
> 그림을 못 그리더라고요. "

> " 제가 어릴 적에는 그림 그리기를
> 너무너무 좋아했었죠.
> 그림 대회에서 상까지 받곤 했었는데,
> 어느 순간부터 그림에 재미를 잃어버렸답니다. "

맞아요, 우리 대부분은 어릴 적에는 그림 그리기를 한없이 사랑했습니다. 하지만 왜 성장하면서 점점 그림을 멀리하게 되는 걸까요? 여러분도 비슷한 경험이 있으셨나요?

그림을 분명 좋아했는데 왜 기피하는 학문이 되었는지 그 이유가 궁금해지실까요?

그 답을 찾기 위해 어린 시절로 돌아가 볼까요?

공간 지각 능력 ◆

여기 5살 아이가 있습니다.

5살 아이는 네모를 그리고 집이라고 합니다.

놀이터, 유치원을 네모로 그리기도 합니다. 5살 아이는 네모만으로도 모든 공간이 설명이 됩니다.그리고 그 아이는 초등학생이 되어 다들 한번쯤 그려 봤을 법한 세모난 지붕에 네모난 벽을 지닌 집을 그립니다. 그리고 고학년이 되면... 집 그

리기는 더이상 네모로 그려지지 않습니다. 여러분의 경험과
비슷할까요?

이러한 집 그림의 변화는 아이들은 더 이상 네모만 그려서는
집이 아니라는 것을 알았기 때문입니다. 그리고 자신의 눈에
보이는 집을 사진과 같이 똑같이 그려야 잘 그린 그림이라고
생각하게 됩니다.

왜냐하면 **인간발달이론에서 아이들은 자라며 공
간지각능력이 생겨 난다고 말합니다. 아이들에
게 없던 능력인 공간지각능력이 생겨나면서** 더
이상 네모가 집이 아니라는 것을 인식 하기 때문입니다. 즉 5
살 때는 없던 공간지각능력이 어느 순간 생겨나며 그림을 사
실적으로 그려야 한다는 두려움에 직면하게 됩니다.

그렇다면 여러분, 이 공간지각능력은 언제 생겨 나는 것일까
요? 사람마다 다를까요?

여러분 초등학교 시절 수학 시간에 원, 육면체, 원기둥 같은
기하학 도형들을 배운 것을 기억하시요? 언제였을까요? 보통
3, 4학년 무렵부터 기하 도형을 배우기 시작합니다. 왜 그때
부터 도형을 배웠을까요? 바로 그 시기에 아이들의 공간 지각

능력이 발달하기 때문에 **학교의 교과과정은 그에 맞는 수업을 가르치게 됩니다.**

그래서 이 시기에 수학에서는 도형 문제를, 미술 시간에는 공간감 표현을 하는 도형 연습을 많이 하게 됩니다. 우리가 학교에서 배우는 교과과정은 인간의 지능발달에 따라 체계적으로 수립되어 있다는 놀라운 사실!

자, 여러분 왜 못그리게 되었냐는 주제로 다시 돌아와서요.

수학에서 원주율을 구하기 위해 공식을 외우고 원기둥의 부피를 구하기 위해 배웠던 공식들이 있었던 것처럼. 미술에서 공간에 대한 공식이 있었습니다. 어떤 공식일까요?

그 공식으로 많은 그림을 가르치는 사람들은 투시도법을 알려줍니다. 혹시 들어보신 적이 있으실까요? 1점, 2점, 3점 투시도법이요.

> **아하, 그렇다면 공간감 표현법만 배우면
> 그림을 잘 그릴 수 있겠구나!**

라고 생각하실 수도 있습니다.

실제로 투시도법이 그림을 잘 그리는 방법인 것처럼 사용되고 있는 현실입니다. 이 방법이 그림을 잘 그리는 방법처럼 사용되고 있지만, 단지 여러분이 어린 시절 교육받지 못했던 공식을 배우는 것입니다. 수학 교과에서 지속적인 교과 과정이 있는 것처럼 미술에서도 투시도법 다음 과정이 있습니다. 그래서 여러분은 그 다음 단계로 나아가야 합니다.

하지만, 저는 독학으로 그림을 그리는 분들이 이 기법과 공식에 머물러 있으며 의존하는 것을 많이 보아 왔습니다. 지금 당장은 그림 공식을 알게 되어 잘 그리는 것처럼 보일지 몰라도 오랜 시간을 두고 본다면 여러분의 그림은 발전이 있을까요?

여러분의 그림이 발전하고 성장하기 위해서는 우선 공간감 표현법이란 평면에 입체감을 주고자 연구해 낸 하나의 방법에 불과하다는 것을 인지해야 합니다. 풍경화나 정물화 같은 사실적인 그림엔 유용하지만, 투시법만으로는 그림의 진정한 본질을 이해하기 어렵습니다.

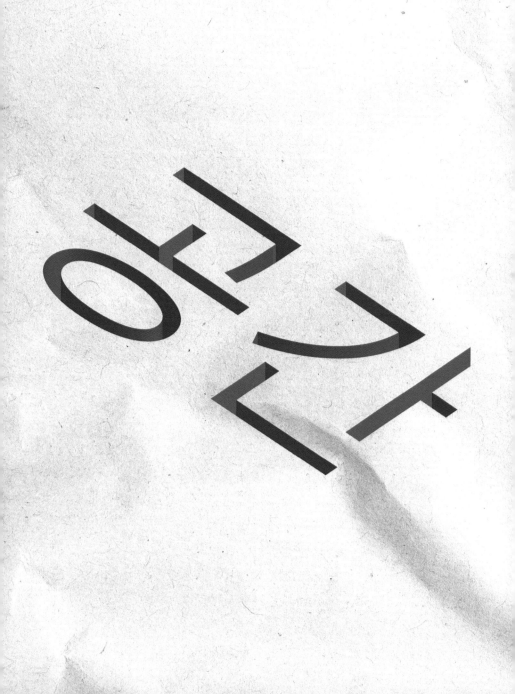

그림이란? ◆━━━━━━━━━━━

자, 그렇다면 그림의 진정한 본질은 무엇일까요? 세계적인 거장들인 고흐, 피카소, 모네 같은 화가들은 결코 투시법에만 얽매이지 않았습니다. 왜냐하면 그들은

> **"**
> 이 평평한 캔버스 위에서 어떻게 하면
> 내 독창적인 조형 언어를 만들어낼 수 있을까?
> **"**

라는 끝없는 고민을 했기 때문입니다.

생각해 볼까요?

"기쁘다"를 조형언어로 표현한다면?

"놀라다"를 조형언어로 표현한다면?

"슬프다"를 조형언어로 표현한다면?

"반짝이는 물"을 조형언어로 표현한다면?

"우리집"을 조형언어로 표현한다면?

"아름다운 여인"을 조형언어로 표현한다면?

여러분, **그림이란 곧 화가의 시각적 언어입니다.**
인류 최초의 그림인 동굴 벽화가 그랬듯이, 말로는 표현하기
힘든 것을 시각화해서 전달하는 매개체라는 거죠. 그래서 위
대한 화가들은 자신만의 독특한 조형 언어를 개발해내려 애썼
습니다.

모네는 빛의 언어를 만들어냈고, 피카소는 다중 시점의 언어
로 형상을 해체하고 재구성했습니다. 세잔은 단순화된 기하학
형태로 대상을 재해석했죠. 심지어 캔버스에 갇혀있는 것이
한계라고 느낀 일부 작가들은 설치미술, 행위예술 등 새로운
장르를 개척하기도 했습니다.

인류 최초의 그림을 그린 이들은 다음의 내용을 그림으로
표현하였습니다. 어떻게 그림으로 표현했을까요?
여러분은 어떻게 표현할까요?

"내가 들에 나가서 나보다 아주 큰 동물을 보았어.
그것은 다리가 네개이고 머리에 뿔이 있었어.
나는 너무 무섭고 놀랬어
그것은 창을 던져서 잡아야 해"

좋습니다, 여러분. 이제 그림의 진정한 의미를 이해하셨나요? 단순히 사실적으로 잘 그리는 것만이 그림을 잘 그리는 것이 아닙니다. 중요한 것은 화가 자신만의 독창적인 시각 언어를 캔버스에 드러내는 것입니다. AI가 사물을 재현하는 건 할 수 있겠지만, 인간만이 자신만의 진정한 내면 세계를 그림으로 나타낼 수 있습니다.

그러니 앞으로 그림을 그릴 때는 사실적 재현이 아닌, 여러분만의 메시지와 철학을 작품에 담아내어 보세요. 일상의 단순한 사물이나 풍경 너머에서, 여러분만의 독특한 시각을 발견해 나가시길 바랍니다. 작품 하나하나에 여러분의 내면 이야기를 녹여낸다면, 점점 아름다운 조형언어를 발견해 나갈 수 있을 것입니다.

늘 그림을 잘 그려야 한다는 부담감에서 벗어나, 자유롭게 여러분의 시각을 펼쳐보세요. 그리고 그 안에서 나만의 멋진 언어를 만들어내시기 바랍니다. 여러분 모두가 자신만의 조형언어를 지닌 작가가 되시길 바랍니다.

그림은 시각적 언어이다

2nd

그림 잘 그리는 방법

1장에서는 그림에 대한 본질에 대해
알아 보는 시간이었습니다.
2장에서는 그림을 잘 그리기 위해
가져야 할 필사기를 알려드립니다.
여러분 모두가 이 필사기를 꼭 지니고
그림을 그려 나가시길 바랍니다.

10가지 비법

◆ 태도와 관점의 변화가 중요한 이유

아마 대부분의 분들은 "그림을 잘 그리고 싶어서" 그림을 시작하셨을 것입니다. 이는 무척 자연스러운 마음입니다. 낚시꾼이 낚시 실력을 갈망하고, 영어초보자들이 실력 향상을 원하는 것과 같은 이치입니다.

하지만 오늘 말씀드릴 것은 '그림 잘 그리는 기술'이 아닌, 그림을 대하는 여러분의 태도와 관점이 얼마나 중요한지에 관한 내용입니다. 처음에는 다소 생소할 수 있겠지만, 끝까지 주의 깊게 귀 기울여주시기 바랍니다. **의식의 변화는 실력의 변화를 일으킵니다.**

한국 그림유튜버 VS 미국 그림 유튜버 ◆

제가 그림 유튜버를 시작하며 최근 해외 유명 그림 유튜버들의 영상을 분석해보니 한국과 다른 점이 있었어요. 한국 유튜버들의 작품은 비슷한 스타일과 소재가 주를 이뤘지만, 미국 유튜버들의 작품은 정말 다양한 관점과 색채, 기법으로 그림을 표현하고 있었거든요.

그 차이가 무엇 때문일지 곰곰이 생각해봤습니다. 첫 번째 원인은 바로 미술 입시 제도의 차이라고 봅니다. 한국은 실기시험 위주라서 미술학원에서 입시 전략용 그림을 가르칩니다. 학생 개개인의 개성 표현보다는 채점 기준에 맞춘 무미건조한 틀 안의 그림을 강요하는 셈이죠. (도대체 몇 년째 이러고 있는지......)

반면 미국은 지원자 개개인의 독특한 개성이 드러나는 포트폴리오를 중요하게 여깁니다. **입시의 차이가 교육 방법의 차이**가 생겨나고 그래서 그림 유튜버들이 알려주는

정보도 다른 것이 아닐까 생각합니다,

두 번째 원인으로는 미국이 다인종 국가라는 점을 들 수 있습니다. 우리는 어렸을 때부터 단일민족 환경에서 자랐기에 다소 '획일성'에 익숙해졌습니다. 주변의 눈치를 많이 보다 보니 그림에서도 정답 그림은 하나이다 라는 획일적인 사고가 있습니다.

◆ 다양성의 존중

하지만 요즘 한국도 점점 다문화 사회로 변모하고 있습니다. 이에 발맞춰 다양성을 존중하는 새로운 시각이 필요한 시기라고 봅니다. 서로의 다름을 인정하고 포용할 수 있어야 하는 거죠.

다양성을 이해하면 자연스레 남의 다름을 받아들일 수 있게 됩니다. 상대방의 생각, 느낌, 표현 방식이 나와 다르다는 걸 인정할 수 있어요. 그러면서 동시에 **나 또한 존중받을 수 있다는 걸 깨닫게 되지요.**

바로 그때, '잘 그리는 그림'이라는 것이 더는 중요하지 않게 됩니다. 그림은 나를 표현하는 수단일 뿐이에요. 내 그림이 남과 다르다고 해서 못 그린 그림은 아닙니다. 오히려 그 다름 자체가 가치가 되는 것이죠.

여러분이 그림을 배우기로 결심한 이유도, 사실은 자기 자신의 내면을 나다운 방식으로 표현하고 싶은 욕구가 있었기 때문이 아닐까요? 그렇다면 앞으로 **그림을 통해 나다움을 발견해가는 여정을 해보는 건 어떨까요?** 이것이 바로 제가 여러분께 권하는 진정한 '그림 잘 그리는 법'입니다.

대가들의 그림에도 정답은 없습니다. 각자의 개성과 시각이 작품 속에 고스란히 녹아있을 뿐이죠. 여러분 안에 있는 개성도 마음껏 발현해보세요. 다양성의 캔버스 위에 여러분만의 색을 입혀나가보시길 바랍니다.

남과 다르다고 해서 부끄러워하지 마세요. 오히려 그 다름이
야말로 세상을 아름답게 만드는 보석과 같은 것이니까요. 평
범한 것들만 있다면 지루할 테지만, 여러 다양성이 어우러져
아름다운 하모니를 이루는 것이 바로 예술의 참모습이라고
생각합니다.

앞으로 그림 여정이 설레고 기대되시나요? 서로를 인정하고
포용하는 자세로 캔버스에 도전해보세요. 여러분만의 고유한
개성이 더욱 빛을 발할 것입니다. 잘 그리는지 못 그리는지가
중요한 게 아닌, 그림 안에 '나'를 담아내는 게 핵심이라는 점
꼭 기억해주시기 바랍니다. 각자의 개성이 빚어내는 다양성
가운데서 여러분만의 진정한 가치가 발견될 것입니다.

시각언어는 다양합니다.
나만의 시각언어를 찾아서!

3rd

스케치? 드로잉?

그림을 그리려면 스케치를 해야죠? 아닌가?
드로잉을 해야하나요?
그림에서 스케치와 드로잉의 의미를
알고 드로잉의 3가지 방법을
알려드립니다.

◆ 드로잉이란?

그림은 점, 선, 면, 그리고 공간으로 이루어집니다. 점들이 모
여 선이 되고, 그 선들이 모여 면을 이룹니다. 이렇게 만들어
진 면들이 공간을 형성하게 되지요. 이처럼 그림은 기본 요소
들의 유기적인 결합으로 탄생합니다.

그런데 여러분, 그림을 그리는 행위 자체를 우리는 '드로잉'이
라고 부릅니다. 드로잉이라는 단어 안에는 스케치, 페인팅 등
그림 그리기의 모든 과정이 포함되어 있습니다.
오늘 저는 드로잉의 방법을 초급, 중급, 고급의 세 단계로 나
누어 소개하고자 합니다.

참고
그림의 영어명을 "Picture[픽처]"로 알고 계신 분들이 많습니다.
그림의 영어명은 "Drawing[드로잉]"입니다. "Picture"는
사진이라는 의미가 더 가깝습니다.

◆ 그림의 정의

드로잉 설명을 하기 전에 우선 여러분은 그림이 무엇이라고
생각하시나요? 1장에서 그림은 시각적 언어라고 말씀을 드렸
습니다.

2장 그림을 잘 그리는 방법편에서 그림은 나를 표현하는 것이
중요하다 라고 말씀을 드렸는데요.

저는 그림은 나를 표현하는 도구, 나를 표현하는 비언어적인
메세지, 그림언어라고 생각합니다. 우리가 글을 쓰거나 말을
하듯, 그림 또한 자신의 내면을 드러내는 수단인 것이지요.

그래서 여러분이 이해하기 쉽게 드로잉하는 방법을 **언어와
비교해서 설명을 하려고 합니다.**

◆ 드로잉 초급

초급 단계는 바로 '따라 그리기'입니다. 어린아이가 처음 글자를 익힐 때 베껴 쓰기를 하듯이 말이죠. 주어진 사진이나 그림을 라이트박스 등의 도구를 활용해 모사하는 연습을 하게 됩니다. 이는 손과 눈의 협응력을 기르고, 대상의 형태를 인식하는 능력을 높이는 데 도움이 됩니다. 여러분들이 처음 외국어를 배울 때 입 근육이 익숙해지도록 발음 연습을 하는 것과 같은 이치입니다.

여러분 영어 공부 다들 해보셨죠? 영어 발음이 한국말과 달라서 어렵잖아요. 그래서 영어 발음을 내기 위해서 입 근육이 익숙해 지도록 연습을 해야 한다고 합니다.

이처럼 그림을 그릴 때 내가 만약 전혀 듣지도 못한 외계어를 배운다고 생각해 보세요.
외계어를 배우기 위해 나의 손 근육을 외계어에 익숙해 지도록 연습을 하는 겁니다.

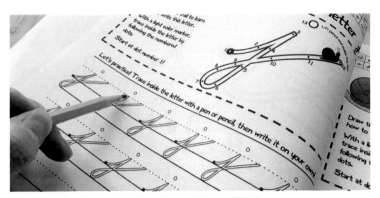

글씨를 따라 쓰는 것처럼 라이트박스를 이용해서
따라 그립니다. 자세한 내용은 유튜브**"Jay's art
workshop"**을 확인하세요

이렇게 따라그리기를 하는 것은 내가 평소에 느끼지 못했던

꽃의 모양을 내가 연습하는, 내 손근육이 만들어지는 과정이

라고 생각해 보시면 좋을 것 같아요.

드로잉 중급

실력이 업그레이드 되는 두번째 스케치 방법은 영어를 따라 쓰기를 할 때 4선 공책을 사용했던 것을 기억하시나요? 이처럼 그림을 그릴 때 **보조선을 그어 그리는 방법**을 중급편이라 저는 애기해 봅니다. 글씨를 쓸때 보조선의 도움을 받는 것처럼 그림도 보조선의 도움으로 여러 형태를 만들어갑니다.

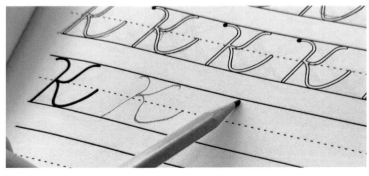

보조선을 이용하는 방법

사진에 보조선을 그어서 그대로 옮기는 것을 연습해 보기

복잡한 물체도 기본 도형으로 생각하고 보조선으로 크게
드로잉을 한 다음 세밀하게 그려 나가기

줄공책을 이용해서 그리기

투시도법에 따라 그림을 그려 보기

드로잉 고급

마지막 고급 단계에서는 '나만의 언어를 찾는' 과정이 필요합니다. 우리가 글씨를 따라 쓰다가 점차 자신만의 독특한 필체를 갖게 되듯이, 드로잉에서도 개성 있는 표현 방식을 모색해야 합니다. 이를 위해 '작가 노트'를 활용하여 자유롭게 낙서하고 스케치하며 자신의 내면을 탐구해 봅니다.

특히 "왜?"라는 질문을 끊임없이 스스로에게 던져보는 것이 중요합니다. 왜 꽃을 그리고 싶었는지, 왜 그림에서 치유를 받는지, 왜 인물화가 마음에 드는지 등등. 이렇게 자신의 동기와 관심사를 파고들수록 자신만의 독특한 시각과 메시지가 드러나게 됩니다. 우리가 알고 있는 거장 화가들 또한 이런 내면의 소리에 귀 기울여 자신만의 독창적인 예술 세계를 구축해 나갔습니다.

여러분이 그림을 시작하며
제일 먼저 준비해야 할 준비물은
"나만의 드로잉 노트" 입니다.

여러분, 그림에는 재능이 필요한 것이 아닙니다. 오직 자신만의 언어, 자신만의 모습을 찾아가는 것이 중요할 뿐입니다. 그리고 그 언어는 AI가 결코 따라할 수 없는 강력한 힘을 지니고 있습니다. 초급에서 조금씩, 중급에서 한 걸음씩 나아가다 보면, 언젠가는 자신만의 이야기를 그림으로 펼치고 싶어지는 날이 올 것입니다. 그림은 결코 거창한 것에서 비롯되지 않습니다. 작지만 의미 있는 나의 그림 이야기에서부터 하나씩 배워 나가는 것, 이것이 바로 진정한 드로잉의 시작이 될 것입니다.

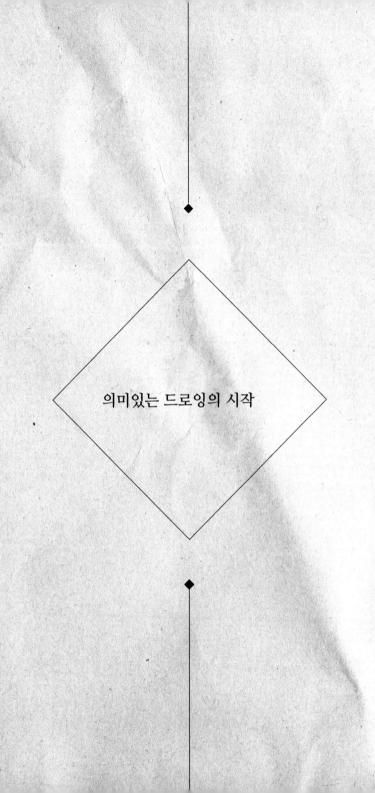

의미있는 드로잉의 시작

4th

색이 어렵다면?

세상의 모든 사물들은 고유의 색을 지니고 있습니다. 사
람도 다양성을 지니고 자기만의 개성있는 색을 지니고 있
습니다. 내가 지닌 색에서 시작되는 색의 이야기 한번 들
어보실래요?

색을 사용하는 것을 여러분이 이해하기 쉽게
사람의 인생과 비교 설명해 보겠습니다.

1. 혼자있는 나

2. 사람들을 만남

3. 결혼, 사랑... 그 끝은

이렇게 제목을 정해 보았는데요. 각각의 색이
어떻게 변화되고 표현되는지 저의 비유가 적
절한지 생각해 보시면 좋을 것 같아요. 그림
이 인생과 비슷한 점이 참 많답니다.

취미미술

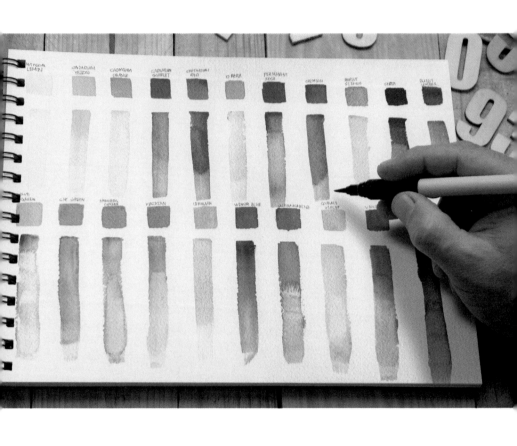

먼저 여러분께 질문 드리겠습니다. 여러분 자신을 한 가지 색으로 표현한다면 무엇일까요? 지금 채색 도구가 있다면 자신을 가장 잘 나타내는 색을 골라봐 주세요.

아마 단색만으로는 부족할 것 같네요. 우리 모두 단일한 색으로만 이루어진 존재가 아니니까요. 그렇다면 이제 다양한 색들과 만나보며 어떤 변화가 일어나는지 살펴볼까요?

여러분, 어릴 적 가장 먼저 만난 사람은 누구였나요? 가족, 친구, 선생님 또는 낯선 이웃이었을 거예요. 우리는 살아가며 수많은 사람들과 교류하며 성장하게 됩니다.

색도 마찬가지입니다. 단색으로만은 부족해요. 다양한 색들과 어우러져야 비로소 아름다운 색세계가 열리는 거죠. 이처럼 사람들과의 관계 속에서 색도 본연의 모습을 드러내게 되는 것입니다.

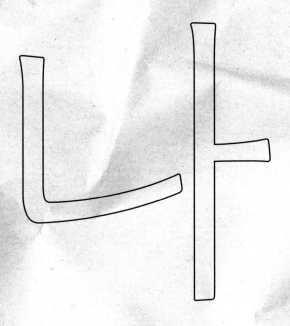

나를 표현하는 색을 칠해 볼까요?

그렇다면 색들이 만나면 어떤 일이 일어날까요? 사람들이 관계를 맺으며 성장하듯이, 색들 또한 섞이고 혼합되면서 새로운 색을 창조하게 됩니다. 이것이 바로 색의 혼합이라 불리는 과정입니다.

다음 그림에 나와 관계된 사람들의 색을 칠해 볼까요? 그들과 혼합되며 나의 색은 어떻게 변했을까요? 나와 관계된 다른 이들도 그려볼까요? (예시: 부인, 남편, 자녀, 이웃, 동료, 낯선 이웃...)

색의 혼합이란 기본 단색에 다른 색을 섞어 전혀 새로운 색을 만들어내는 것을 말합니다. 마치 사랑하는 사람과 결혼해 하나가 되는 것과도 같은 의미라고 할 수 있겠네요.

여기서 잠깐, 색에 대한 전문가적 견해를 소개해드리고자 합니다. 색채학자들은 색을 세 가지 속성으로 분류합니다. 바로 색상(Hue), 명도(Value), 채도(Chroma)가 그것인데요. 색상은 빨강, 노랑, 파랑 등의 색을 의미하며, 명도는 색의

밝기 정도를 나타냅니다. 그리고 채도는 색의 선명도와 관련이 있죠. 이 세 가지 속성의 조합을 통해 다양한 색들이 창조될 수 있습니다.

전문가들은 이러한 색의 속성과 배합을 깊이 연구하여, 우리 삶에 가장 적합한 색을 찾고자 노력합니다. 색은 우리의 감정과 행동에 큰 영향을 미치기 때문이죠.

예를 들어 붉은색은 열정과 모험심을 상징하지만, 너무 강렬하면 공격적으로 비칠 수 있습니다. 반면 녹색은 평화로움과 안정감을 주는 색채입니다. 이처럼 색마다 고유한 의미와 심리적 효과가 있는 것이지요.

우리가 일상에서 옷을 고르거나 제품 디자인 할 때에도 이런 색의 상징성과 효과를 고려해야 합니다. 기업 로고나 영화, 드라마에서도 특정 색을 통해 전달하고자 하는 분위기와 메시지가 있답니다.

글씨가 검은색으로 쓰여진 것과
고유의 색이 있는 것의
차이를 느껴봅니다.

빨간색

주황색

노란색

초록색

파란색

남 색

보라색

흰 색

검은색

빨간색

주황색

노란색

초록색

파란색

남 색

보라색

흰 색

검은색

결국 색은 우리의 삶 그 자체를 시각적으로 표현하는 강력한 도구라고 할 수 있습니다. 색을 단순히 색칠한다는 의미를 넘어 우리의 내면세계를 표출하는 의미 있는 작업이라고 봐야겠죠.

여러분, 오늘 색에 대한 전문적인 견해를 듣고 나니 색에 대한 이해가 더 깊어지셨나요? 앞으로 색을 접할 때마다 우리 삶의 의미를 발견하는 재미있는 경험이 되었으면 합니다.

색은 시각적인 표현의 강력한 도구

5th

연장을 알아야 요리를 하죠

만약 요리를 한다면 요리 도구의 특성을 이해하는 것이 중요합니다. 예를 들어, 계란을 냄비에 익히는 것보다는 후라이팬에 구워야 하는 경우가 있습니다. 마찬가지로, 미술에서도 재료의 특성을 이해하는 것이 매우 중요합니다. 이를 통해 예술가는 자신의 창의성을 더욱 발휘할 수 있고, 작품에 더 깊은 의미와 아름다움을 부여할 수 있습니다.

그림 그리기의 기쁨은 단계를 밟아갈수록 점점 더 커집니다. 초급 때는 따라 그리기에 주력하며 기본기를 다집니다. 중급에 이르러서는 보조선을 활용해 대상의 형태를 세밀하게 포착하는 법을 익힙니다. 그리고 고급 단계에서는 자신만의 독특한 시각과 메시지를 드로잉에 담아내게 됩니다.

하지만 여기서 여러분의 탐험은 끝나지 않습니다. 드로잉 실력이 차곡차곡 쌓이다 보면, 자연스레 **다양한 재료와 기법에 대한 호기심도 함께 자라나게 됩니다.** 연필 스케치를 넘어 색을 더해보고 싶어지고, 평면이 아닌 입체적인 표현에도 관심이 생기는 것이지요. 유화, 아크릴, 수채화, 혹은 동양화 재료에 매료되기도 하고, 목탄이나 파스텔 등의 재료로 새로운 시도를 해보고 싶어지기도 합니다. 이렇듯 무궁무진한 재료의 세계가 여러분을 기다리고 있습니다.

그렇다고 해서 무작정 새로운 재료를 섣불리 선택해서는 안
됩니다. 여러분은 우선 내가 표현하고자 하는 주제와 개별 재
료 산의 궁합을 살펴봐야 합니다. 어떤 재료가 내 메시지 전달
에 가장 적절할지 고민해보는 것이 중요합니다.

재미있는 사례를 들어가며 미술 재료 선택의 중요성에 대해 이야기해보려고 합니다.

여러분들도 아마 경험이 있으시겠지만, 가끔 사람들이 '남과 다르려고' 무언가를 하는 경우가 있죠? 제 지인 한 분도 그랬는데요. 대학원 미술 실기 시험에서 실수를 하고 말았습니다. 실기 시험에서 지인은 여러 채화 재료 중에서 수채화를 선택했다고 합니다. 최종 면접에서 "왜 수채화를 골랐느냐"고 묻자, 다음과 같은 대답을 했답니다.

> **다른 사람들은 유화나 아크릴을 했으니까, 아무도 하지 않는 수채화를 선택했습니다.**

이 대답을 듣고 여러분은 어떤 생각이 드셨나요? 지인의 발언에서 큰 문제점을 감지하셨나요?

네, 바로 '남들과 달라보이려고' 재료를 선택했다는 점입니다. 각 미술 재료가 지닌 특성을 전혀 고려하지 않은 채, 단지 독특해 보이려는 생각만 가졌던 거죠.

미술 재료마다 지니고 있는 특성을 알
고 그림을 그리는 사람과
모르고 그리는 사람의
그림은 차이가 있습니다.

이건 마치 김밥 요리를 할 때 "아무도 올리브유를 쓰지 않아서 오늘은 올리브유를 사용해볼까?" 하고 참기름 대신 무작정 올리브유를 집어넣는 것과 같습니다. 황당하지 않나요?

이처럼 작품의 주제나 의도를 전혀 고려하지 않은 채 재료만 특이하게 골랐다면, 그 작품이 어떻게 완성될까요? 아마 주제와 맞지 않은 재료는 엉뚱한 결과물이 됩니다.

지금 제가 설명 드린 재료의 한 예처럼 많은 사람들은 안타깝게도 이런 실수를 범하고 있습니다. 자신의 표현 방식에 맞는 재료는 무엇인지 충분히 고민하지 않고, 무작정 유화를 골랐다거나 수채화를 선택하는 거죠.
그렇다면 우리는 어떤 식으로 재료를 골라야 할까요?
저는 3장의 드로잉을 많이 하고 난 후에 재료를 선택하기전에 여러분이 적어도 재료의 특징은 이해를 하셨으면 좋겠다는 생각으로 5장에서 간단하게 다양한 채색도구들을 설명하려고 합니다.

연필은 그림을 그리고 채색하는 데 가장 기본적인 도구 중 하나입니다. 연필은 다양한 선의 두께와 질감을 만들어냅니다. 연필로 그림을 그린 후 색을 입히는 과정에서도 연필로 음영과 강조를 추가할 수 있습니다. 그리고 지우개만 있으면 쓱싹 쓱싹 지울 수 있는 장점이 있지요. 단! 너무 힘을 주어 그리면 자국이 남는다는 사실!

색연필은 연필과 유사하지만 알록달록 색을 입히는데 사용됩니다. 다양한 색상의 색연필을 사용하여 그림에 생동감을 불어넣을 수 있습니다. 색연필은 겹쳐서 섞거나 희석하여 다양한 색조와 질감을 만들 수 있습니다. 요즘은 수채화 느낌을 낼 수 있는 수채화 색연필도 있습니다.

마커는 선명하고 진한 색을 만들어내는 데 사용됩니다. 일반적으로 알코올 기반의 마커는 빠르게 마르며 선명한 색감을 제공합니다. 또한, 마커를 섞거나 블렌딩하여 부드러운 그라데이션과 고급스러운 효과를 만들 수 있습니다.

수채화는 물과 함께 사용되는 투명한 색을 가진 도구입니다. 수채화를 사용하여 부드러운 색조와 투명한 물감 효과를 만들어낼 수 있습니다. 수채화는 물을 사용하여 색을 섞거나 희석하여 다양한 효과를 만들 수 있습니다. 수채화에 대한 자세한 내용은 6장에서 다룰 예정입니다.

아크릴 페인트는 물 기반의 페인트로, 빠르게 마르고 밀착력이 강합니다. 아크릴 페인트는 밝고 선명한 색감을 제공하며, 다양한 표면에 사용할 수 있습니다. 또한, 아크릴 페인트는 층을 쌓거나 혼합하여 다양한 효과를 만들 수 있습니다.

유화는 수채화와 아크릴과는 달리 오일을 사용하여 그림을 그리는 방법입니다. 오일 기반이기에 유화는 보다 부드럽고 풍부한 색채를 만들어내며, 장시간 동안 그 색채를 보존할 수 있는 특성이 있습니다. 또한, 유화는 층을 쌓아가며 그림을 완성시킬 수 있어서 세부적인 표현이 가능하고, 물감이 마르는데 시간이 오래 걸리지만 색채의 혼합과 조화를 통해 다양한 효과를 연출할 수 있습니다. 이러한 특징들로 유화는 오랫동안 화가들에게 사랑받아온 기법 중 하나입니다.

이처럼 재료 선택에는 여러 가지 고려 사항이 있습니다. 작품의 주제와 메시지, 재료가 주는 분위기와 물성, 작가 개인의 작업 스타일과 선호도 등을 종합적으로 살펴봐야 합니다. 재료 하나하나가 나만의 독특한 시각을 드러내는 중요한 수단이 되기 때문입니다.

초보자 때는 이렇게 복잡하게 고민하지 않아도 좋습니다. 우선 아무 재료라도 마음에 드는 것부터 가지고 노는 것이 중요합니다. 재료와 친숙해질수록 자연스럽게 어떤 재료가 어울리는지 눈에 들어오게 될 것입니다. **실전에 앞서 다양한 실험과 탐구의 과정을 거치는 것, 바로 이것이 진정한 예술가의 길입니다.**

다양한 실험과 탐구의 과정

6th

취미미술

매력적인 수채화

색을 탐구하는 좋은 구도로 수채
화를 추천해 봅니다. 수채화라니?
쉬운 것 같으면서 어려운 이 도구
의 장점을 살펴 봅니다.

6장에서는 수채화라는 매력적인 미술 재료에 대해 이야기해 볼까 합니다. 어릴 적 추억이 되살아나는 재미있는 이야기가 될 것 같네요.

여러분들은 크레파스, 색연필 등 다양한 채색 도구를 접해보 셨을 겁니다. 그중에서도 수채화 도구는 가장 익숙했던 도구 가 아니었을까 싶습니다. 수채화 물감과 붓, 그리고 스케치북 만 있으면 세상 구석구석을 물들일 수 있었던 마법 같은 도구 였죠.
하지만 이렇게 오랫동안 보아왔고 어릴 적부터 익숙했던 만 큼, 왠지 수채화는 다루기 쉬운 재료라고 생각하시는 분들이 많습니다.

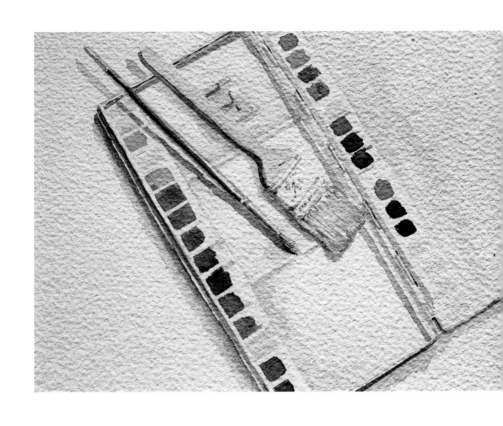

수채화 쉬운 것이 맞을까요?

그런데 사실 유화나 아크릴화에 비해 수채화는 꽤나 까다로운 재료라는 사실 아시나요?

수채화는 투명채화라서 밑색이 그대로 보입니다. 그래서 색을 겹겹이 올리다가 실수라도 하면 엉망이 되는 경우가 종종있답니다. 제가 그런 망한 그림을 얼마나 많이 봤는지 모릅니다.

반면 아크릴과 유화는 불투명채화라 실수해도 그 위에 다시 덮어 칠하면 끝! 실수가 없습니다.

이처럼 수채화가 아크릴, 유화보다 훨씬 다루기 힘든 재료라는 걸 알 수 있습니다.

그래서 사실 그림을 처음 배운다면 아크릴이나 유화를 먼저 배우고 나서 수채화를 하는 게 맞습니다. 실컷 연습하고 시도해본 뒤에 수채화를 하는 거죠.

그런데 왜 어렸을 때 우리의 대부분은 수채화부터 배웠을까요? 그건 바로 재료 특성 때문이었습니다. 유화는 말리는데 시간이 오래 걸리고, 아크릴물감은 가격이 비싼 편입니다. 그래서 학교에서는 저렴하고 다루기 쉬운 수채화를 먼저 가르치게 된 거죠.

동그라미로 시작하는 수채화 레슨

10가지 비법

수채화의 좋은 점

하지만 어려운 재료인 만큼 수채화에도 좋은 점이 있습니다. 바로 투명한 색채와 자연스러운 그라데이션을 낼 수 있다는 거예요. 물과 섞이면서 만들어내는 수채화 만의 매력적인 느낌 말이죠.

투명한 색채로 부드럽고 생동감 있는 표현을 할 수 있다는 게 가장 큰 장점이겠네요. 이런 표현력에 능숙해지면 아크릴이나 유화 작업도 한결 수월해집니다.

또한 미술치료 측면에서도 수채화는 매우 유용한 재료라고 할 수 있습니다. 물을 다루는 과정에서 심리적 안정감을 얻을 수 있고, 예상치 못한 결과를 포용하는 과정을 통해 유연성도 기를 수 있다는 점이 흥미롭지 않나요?

물과 색을 다루면서 우리의 내면까지 치유할 수 있다니, 수채화야말로 마음의 안정과 자기 발견에 도움을 주는 도구라고 할 수 있겠어요.

어떠신가요? 수채화의 매력에 빠져볼까요? 수채화와 함께 여러분의 내면 세계도 색칠해보시는 건 어떨까요?

힐링하는 취미 수채화

7th

첫 삽 뜨기,
모작해도 되나요?

모작해도 되냐는 질문을 간혹 접하게 되는데
요. 모작해도 됩니다. 그런데 왜 질문이 있을
까요? 모작에 대해서 잘 모르기 때문에 질문을
할 수밖에 없는 것 같습니다. 그래서 준비한 모
작에 관한 이야기 시작해 보겠습니다.

그림을 처음 배우는 분들의 공통적인 그림들 중에 하나가 모작이 아닐까 생각됩니다. 저 역시도 모작을 한 적이 있습니다. 하지만, 모작을 하더라도 알고 하는 것과 모르고 따라 하는 것은 큰 차이가 있습니다. 7장에서는 모작의 이점과 주의사항에 관해 살펴봅니다.

얼핏 들으면 모작은 그저 베끼기에 불과할 것 같지만, 사실 많은 장점이 있답니다.

첫째로, 모작은 기술적인 측면에서 크게 도움이 됩니다. 원작가의 붓터치, 형태 살리기, 구도, 색채 사용 등을 직접 경험하고 모방하면서 자연스레 실력이 향상되죠.

둘째, 작품을 자세히 들여다보며 디테일을 포착하는 시각적 감각이 발달합니다. 미세한 선과 색감의 차이도 놓치지 않게 되는 거예요. 그런데 모작이 주는 가장 큰 혜택은 바로 창의성과 상상력 계발에 있습니다. 원작에서 출발하지만, 거기에 자신만의 개성을 더해갈 수 있습니다. 색채나 구도를 약간씩 변형해보며 새로운 아이디어를 발전시킬 수 있죠. 또한 모작

과정에서 자신이 좋아하는 스타일을 찾아가면서 자기 표현과 정체성 탐구도 이뤄집니다.

마지막으로 모작을 통해 작품 완성의 성취감을 맛볼 수 있습니다. 원작을 잘 재현해냈다는 자부심이 큰 자신감으로 이어지게 되는 것이죠. 서서히 실력이 향상되는 것을 몸소 느끼게 되면서 예술가로서의 자아실현에도 도움이 됩니다.

하지만 안타깝게도 우리나라 학생들과 학부모님들은 이런 모작의 진정한 가치를 제대로 인식하지 못하는 경우가 많습니다. 모작 그 자체에만 천착하다 보니 그 안에 담긴 기회들을 놓치고 맙니다. 그저 남의 것을 베끼는 행위로만 인식하는 거죠.

하지만 이렇게 모작을 부정적으로만 바라본다면 큰 오산입니다. 모작이 주는 이점을 최대한 살리되, 몇 가지 유의할 점도 있기 때문입니다.

가장 중요한 것은 원작품을 깊이 이해하는 것입니다. 작품의 구조와 형태, 색채 등을 꼼꼼히 살펴 그 속에 담긴 의미와 감정을 파악해야 합니다. 그래야 모작 시 단순 베끼기에 그치지 않고 작품의 진수를 제대로 살릴 수 있습니다.

또한 모작은 단순 모방이 아닌, 창의적 변형을 의미합니다. 원작에서 출발하되 거기에 자신만의 개성과 해석을 가미해야 합니다. 예를 들어 구도는 유지하되 색채를 달리하거나, 주제와 소재를 새롭게 해석해보는 식이죠.

물론 모작 시에도 저작권 문제를 주의해야겠습니다. 상업적 이용이 아닌 개인 학습 목적으로만 허용되므로, 동의 없이 전시나 판매하는 일은 피해야 합니다.

무엇보다도 모작은 발전의 과정일 뿐, 그 자체가 목적이 되어서는 안 됩니다. 다른 화가의 기법을 모방하고 배우는 단계를 거쳐, 궁극적으로는 나만의 독창성을 만들어내야 합니다. 처음에는 원작과 비슷해 보여도 점차 자신만의 색을 입혀가며 자아를 실현해나가는 것이 중요합니다.

요컨대, 모작의 장단점을 균형 있게 인식하고, 자신의 성장 발판으로 삼으셨으면 좋겠습니다. 모작의 가치를 제대로 이해한다면, 여러분 모두 보다 숙련되고 개성 있는 예술가로 거듭나실 수 있을 것입니다.

모방은 창조의 어머니

8th

미술독학러가 많이
하는 실수

그림을 처음 접하는 분들이 가장 흔히 하는 실수는 무엇
일까요? 저도 그중 하나였던 경험을 토대로, 그림 학습
과정에서의 자세와 방법에 대해 이야기해보려 합니다.

그림 배우시는 분들, 처음 그림을 배울 때 많은 분들이 하는 실수에 대해 말씀드리고자 합니다. 이렇게 초심자 단계에서 잘못된 습관이 생기면 앞으로의 성장에 걸림돌이 될 수 있으니 주의가 필요하답니다.

첫 번째로 자주 실수하는 건 바로 과도한 비교입니다. 새로운 예술 분야에 입문했을 때 자신의 작품을 다른 이들의 작품과 너무 비교하는 겁니다. 물론 다른 작가들의 작품을 보며 영감을 얻는 건 좋습니다. 하지만 문제는 거기서 그치지 않고 계속 비교를 하다 보면 결국 자신감을 잃게 된다는 겁니다.

"아이고 내 작품이 이렇게 못생겼나? 포기하고 싶어..."

이렇게 자신의 작품 가치를 과소평가하거나 지나친 자의식에 빠지게 되는 거죠. 그러다 보면 예술 활동에 대한 열정도 꺾이고 창의성도 방해받게 됩니다.

그래서 다른 이들과 비교하기보다는 차라리 자신의 작품을 면

밀히 살펴보는 게 낫습니다. 어떤 부분이 부족한지, 어떻게 하면 개선할 수 있을지 파악하면서 말이죠. 그리고 꾸준한 연습과 실험으로 발전해나가는 게 중요합니다.

비교 자체가 나쁜 건 아닙니다. 하지만 과도한 비교는 오히려 해가 되니 주의해야 합니다. 대신 자신만의 창의적인 방식으로 성장하는 데 집중하세요. 그러면 여러분도 멋진 작품을 만들 수 있을 겁니다.

두 번째 흔한 실수는 바로 자신에 대한 지나친 기대입니다. 그림 배우기 시작하면서 너무 높은 기대를 갖는 분들이 많아요. 단박에 완벽한 작품을 만들 수 있을 거라 생각하면서 말이죠. 하지만 현실은 그렇지 않습니다.

예술은 실력과 노력의 조화로 이루어집니다. 완벽한 작품을 만들기 위해서는 많은 시간과 인내가 필요하답니다. 실패와 실험을 거치며 배움을 쌓아가야 하는 과정인 거죠. 그런데 자신에게 너무 높은 기대를 했다가는 실망감만 커질 뿐입니다.

그림 배우는 과정에서는 과하지 않은 기대를 갖는 게 좋습니다. 차분하고 지속적인 노력이 더 중요하다는 사실을 명심하세요. 예술에서 곧바로 결과가 나오기는 어렵습니다. 초기의 어려움과 실패는 당연한 과정일 뿐이에요.

마지막으로, 너무 빨리 포기하는 경향도 주의해야 합니다. 많은 분들이 처음 몇 번의 실패와 어려움을 겪고는 포기해 버리는 경우가 많죠. 하지만 이렇게 하면 자신의 예술적 잠재력을 펼치지 못하게 됩니다.

예술은 연습과 시간이 필수적입니다. 초반의 좌절과 어려움은 자연스러운 과정일 뿐이에요. 중요한 건 꾸준한 노력과 인내심을 갖는 것입니다. 그렇게 해야 궁극적으로 발전할 수 있습니다.

그림 배우는 일은 결코 쉽지 않습니다. 하지만 잘못된 습관에 빠지지 않고, 꾸준히 노력한다면 여러분 모두가 멋진 예술가가 될 수 있을 것입니다. 마지막까지 포기하지 마시고 꿈을 향해 나아가세요.

많은 인내와 연습 과정

9th

그림 어디서 배울까?

그림을 혼자 배우는 것은 흥미롭고 유익한 경험이지만,
때로는 전문적인 지도자의 지식과 통찰력을 통해
더 나은 실력을 개발하고자 하는 욕구가 생길 수 있습니
다. 이제, 그럴 때 어떤 선생님을 찾아야 하는지에
대해 알아보겠습니다.
미술학원, 화실, 개인 과외 중에서 어떤 선택이
적합한지 고민하는 분들에게 조언을 드립니다.

그림 실력 향상을 위해서는 전문적인 선생님의 지도가 꼭 필요합니다. 하지만 어떤 환경에서 어떤 방식으로 배우는 것이 좋을지 고민되시는 분들이 많죠. 9장에서는 이에 대해 구체적으로 살펴보겠습니다.

먼저 핀란드의 교육 시스템에 대해 잠깐 말씀드리고자 합니다. 핀란드는 세계적으로 교육 수준이 가장 높은 나라로 꼽히는데요. 그 성공 비결 중 하나가 바로 교사들의 전문성에 있습니다.

핀란드 선생님들은 모두 교육 대학에서 엄격한 과정을 거쳐 교사 자격을 취득합니다. 교육학 이론부터 현장 실습까지, 전문가로서의 체계적인 훈련을 받는 것이지요. 이렇게 갖춰진 전문성으로 학생 개개인에게 최적화된 교육을 제공할 수 있습니다.

미술 교육에서도 마찬가지입니다. 전문 미술 선생님을 만나는 것이 무엇보다 중요합니다. 전문가 선생님들은 다양한 기법과 기술을 가르치고, 학생 개개인의 재능과 특성에 맞춰 창의성을 이끌어냅니다. 또한 학습 스타일과 단계에 따른 맞춤형 피드백을 제공하죠.

그렇다면 이런 전문가 선생님들을 어디에서 만날 수 있을까요?

첫째, 미술학원을 고려해볼 수 있습니다. 여러 학생들이 함께 수업을 듣다 보면 동료들과 활발히 소통하고 자극을 주고받을 수 있습니다. 또한 체계적인 커리큘럼에 따라 전문 교사진이 기초부터 탄탄히 지도해 주시죠.

둘째로, 작은 규모의 화실 수업을 생각해볼 수 있겠네요. 화실은 소수 정예 인원으로 수업이 진행되어 선생님과 가까운 관계를 맺을 수 있습니다. 덕분에 개개인에게 특화된 맞춤 지도를 받기 수월합니다. 또한 화실에는 작품들이 전시되어 있어서 영감을 얻기에도 좋습니다.

마지막으로 일대일 개인 과외 수업을 고려해볼 만합니다. 이 방식은 가장 집중적이고 개인화된 지도를 받을 수 있다는 장점이 있습니다. 학생 개인의 강약점을 꼼꼼 살펴가며 집중 피드백을 제공받을 수 있는 것이죠. 시간과 장소 또한 본인 스케줄에 맞춰 융통성 있게 조정할 수 있습니다.

어떤 방식을 선택하셔도 괜찮습니다. 다만 가장 중요한 건 전문성을 겸비한 선생님을 만나는 것입니다. 핀란드 교사들처럼 엄격한 교육과 실습 과정을 거쳐 역량을 갖춘 전문가 선생님의 지도라면, 여러분 모두가 탁월한 작가로 성장할 수 있을 것입니다.

작품 활동에는 꾸준한 노력과 인내가 필요합니다. 처음에는 어렵고 좌절감도 들겠지만, 전문가 선생님의 지도를 받으며 차근차근 발전해 나간다면 분명 큰 성과가 있을 것입니다. 포기하지 마시고 새로운 열정으로 꿈을 향해 나아가시기 바랍니다. 여러분의 멋진 작품 활동을 기대하겠습니다!

나의 미술 선생님은 신중하게 만나자

10th

마라톤 시작입니다

그림을 그린다는 것은 나를 표현하는 중요한 도구이며
여러 다양한 매체를 통해 표현을 하는 것을 배웠습니다.
그리고 끊임없는 노력이 중요하다는 것도 배웠습니다.
이러한 것을 지속적으로 해 나가면 분명히
나는 성장해 나갈 것입니다.

10가지 비법

그림 배우는 일은 결코 쉽지만은 않습니다. 하지만 꾸준히 노력하고 열정을 가지고 임한다면 분명 많은 좋은 열매를 맺을 수 있습니다. 여러분께서 얻을 수 있는 구체적인 혜택들을 하나씩 살펴볼까요?

첫째, 기술적인 면에서의 향상이 있겠죠. 펜이나 연필로 선을 유려하게 잡는 기술, 다양한 색감을 섞어내는 능력, 전체적인 구도와 균형을 잡아내는 센스 등이 모두 발전할 것입니다. 처음에는 서툴렀던 기초 기술들이 점점 익숙해지고 정교해질 거예요.

그렇게 되면 작품 자체도 더욱 전문적이고 완성도 높게 표현할 수 있게 됩니다. 예술적 표현의 폭도 넓어져서 자신의 개성과 감성을 작품에 잘 녹여낼 수 있을 거예요.

둘째로는 창의성과 상상력의 향상이 있습니다. 그림을 열심히 그리다 보면 자연스레 새로운 아이디어와 발상들이 샘솟게 되죠. 평소에는 생각지 못했던 창의적인 구상들을 할 수 있게 되는 거죠.

또한 주변 세상을 바라보는 관점 자체가 다양해집니다. 작품을 그리려면 대상을 여러 시각에서 들여다봐야 하니까요. 이렇게 창의성과 시야가 확장되면서 상상력도 자연스레 키워 나갈 수 있습니다.

세 번째 혜택은 자부심과 자신감의 증진입니다. 오랜 노력 끝에 작품을 완성했을 때의 그 뿌듯함과 성취감이야말로 최고의 보상이 아닐까요? 자신의 능력을 믿고 인정할 수 있게 되면서 자아존중감도 쑥쑥 자라납니다.

성장한 실력으로 좋은 작품들을 계속 만들어내면, 그 확신과 자부심은 배가 될 것입니다. 이렇게 열심히 노력한 대가로 얻은 자신감은 예술가로서 큰 원동력이 되어줄 거예요.

마지막으로, 내면의 성장 역시 기대할 수 있습니다. 그림을 그리는 행위 자체가 자신의 생각과 감정을 발견하고 표현하는 과정이기 때문이죠. 이런 창작 활동을 통해 자아를 이해하고 내면을 성찰하게 됩니다.

물론 과정에서 실수와 도전도 있겠지만, 이를 극복하고 이겨
내는 과정에서 꼭 필요한 성장의 기회를 얻게 되는 것이죠.
예술적 활동이 주는 영적인 가치와 의미를 깨닫게 될 것입니
다.

이렇게 보면 그림 그리기는 단순히 기술 향상만이 아닌 다방
면의 성장을 가져오는 활동이라는 걸 알 수 있습니다. 물론
과정이 쉽지만은 않겠지만, 포기하지 않고 열정을 잃지 않는
다면 여러분 모두 기술, 마음, 영혼까지 성장할 수 있을 것입
니다. 긍정의 힘을 믿으며 꾸준히 도전하고 발전해 나가시기
바랍니다.

꾸준한 노력과 열정은 나의 성장

에필로그

나의 그림 이야기

10가지 비법

여느 때와 다름없이 7살의 저는 식당에서 식사를 하고 있었습니다. 그런데 갑자기 옆자리 아주머니들의 대화 소리가 들려왔습니다.

"아니, 저 아이 왼손으로 밥 먹네?
밥 맛 떨어지네"
"왼손잡이는 시집도 못가, 얼른 고쳐야지"

그 말을 들으신 어머니께서는 딱히 뭐라 말씀은 못하시더라구요. 아주머니들 소리 듣고는 기가 죽으신 것 같았어요.

"왼손잡이가 잘못된 건가요?
밥을 왼손으로 먹든 말든 상관 마세요!"

이렇게 말하면 좋겠지만, 조용하신 어머니 성격에 대놓고 아주머니들한테 할 수는 없는 노릇이었죠. 대신 그 뒤로 어머니께서는 제 왼손잡이 버릇을 고치시려 서예학원에 보내셨어요. 서예 실력을 기르라고 보낸 건 아니고, 오른손에 힘을 길러서 왼손 안 쓰게끔 하려는 거였죠.

어느 날인가 서예학원에서 수업 받고 집에 가려고 문을 나서
는데, 마침 제 반 친구가 들어오더니 선생님께 달려가더군요.

"선생님! 주연이가 오늘 학교에서
왼손으로 글 쓴 거 봤어요!"

이 소리에 저는 화들짝 놀라 허둥지둥 서둘러 학원을 뛰쳐나
왔죠. 어릴 적 이런 기행을 몇 번이나 더 했는지 모릅니다. 사
실 어릴 때는 정말 힘든 시간을 보내야 했습니다. 가족들도,
친구들도, 선생님들까지도 제 왼손잡이를 고치려고 혈안이 되
셨으니까요. 그런데도 끝내 저는 정작 왼손잡이로 남았다니,
아주 대단한 일 아니겠어요? 이렇게 살아남을 수? 있었던 건
바로 언니 덕분이었습니다.

제가 초등 3학년 때였어요. 언니가 다니던 미술학원 시간이 남
아서 제가 그 시간을 메꿔서 다니게 된 거예요. 그렇게 해서 저
는 왼손을 마음껏 쓸 수 있게 되었죠. 그림은 왼손이 허용되는
영역이였거든요. 그러자 어머니께서 결국 이렇게 말씀하셨어
요.

"결혼이야 못해도
너 하고 싶은 대로 살아라."

그림을 그리면서 얼마나 행복했는지 몰라요. 사실 저는 그림을 잘 그리지도 못했지만, 그저 왼손을 맘껏 쓸 수 있다는 게 좋았습니다.

어렸을 때 제가 가장 좋아하던 색이 검은색이었어요. 다른 친구들은 예쁜 노랑, 분홍색을 좋아했지만, 저는 아무도 좋아해주지 않은 검은색이 불쌍해 보였거든요.

아마 제 자신의 처지를 검은색에 투영했나 봐요. 주변에서 아무도 왼손인 저를 반기지 않았으니까요. 그렇게 저 안의 소외감과 결핍이 제 작품 세계의 중심이 되었고 그림 작품으로 무시받고 방치되었던 것들에게 생명력을 주려 했어요.

그러다 보니 결국 그것은 제 자신을 향한 애정어린 시선이었다는 걸 깨달았습니다. 그림을 배우는 여러분께 "다양성의 중요성"을 이야기하는 것도, 그림에서 "나를 표현하는 것이 중요하다" 라는 이야기를 하는 것도 어찌보면 제가 이 책을 쓰게 된 저의 가치관이 담겨 있는 것이랍니다.

다르다는 이유로 차별받았지만, 그림은 저를 위로해주었습니다. 하고 싶은 이야기를 맘껏 할 수 있게 해주었죠. 지금까지 그림은 저를 말없이 응원하고 지지해준 친구 같았습니다.

여러분에게 그림은 어떤 존재가 되어 갈까요?

그림을 시작하는 여러분에게 제 그림이야기가
작은 위안과 용기가 되었으면 합니다.

이 책을 읽어 주신 소중한 여러분 감사드립니다.